W0007458

WALIAU

BEDWYR REES

Argraffiad cyntaf: 2013

Rhif Llyfr Rhyngwladol: 978 1 84771 695 8

Comisiynwyd Cyfres Copa gyda chymorth ariannol
Adran AdAS Llywodraeth Cymru

Cyhoeddwyd, argraffwyd a rhwymwyd yng Nghymru gan
Y Lolfa Cyf., Talybont, Ceredigion SY24 5HE
e-bost ylolfa@ylolfa.com
gwefan www.ylolfa.com
ffôn (01970) 832 304
ffacs 832 782

CYMERIADAU

Grug
Merch ddeniadol sy'n ymddangos yn hyderus iawn ar yr olwg gynta.

Siwan
Merch aflonydd, nerfus sy'n siarad ac yn poeni am bob dim.

Rhys
Hamddenol iawn ei olwg a'i osgo. Dim byd yn ei boeni rhyw lawer.

Josh
Hogyn cyhyrog, ymfflamychol, dwys sydd fel petai rhywbeth mawr yn ei gnoi.

Mae'r cymeriadau i gyd yn y chweched dosbarth ac wedi bod i barti gwyllt y noson cynt.

NODIADAU LLWYFANNU
Mae'r llwyfan yn weddol syml. Mae angen wal yn rhedeg i lawr y canol i ffurfio dwy ystafell a rhyw fath o bartisiwn yng nghefn y ddwy ystafell fel y gall y cymeriadau ddiflannu y tu ôl iddo i ardal y cawodydd a'r toiledau. Dylid cael mainc yn rhedeg ar hyd y wal yn y ddwy ystafell fel bod

modd i'r cymeriadau eistedd gefn wrth gefn â'i gilydd ar brydiau. Fel arall, yr unig beth sydd ei angen ydy gwisgo'r ystafelloedd ychydig gydag ambell i brop, dillad, offer ymarfer corff ac yn y blaen.

Mae yna waliau llythrennol a throsiadol rhwng y cymeriadau. Ar brydiau, mae deialog y ddwy ystafell yn plethu i'w gilydd ac mae angen i'r perfformio fod yn gymen er mwyn cyfiawnhau'r seibiau yn y naill ystafell a'r llall. Ni ddylem byth gael yr argraff fod cymeriadau yn "disgwyl lein" o'r ystafell nesaf. Yn hytrach, mae yna oedi yn eu sgwrs eu hunain – un ai oherwydd ei bod yn sgwrs hamddenol ynghanol gwneud rhywbeth arall (e.e. plygu dillad) neu bod yn sgwrs sydd yn gofyn am seibiau naturiol.

(Dwy ystafell newid yn cefnu ar ei gilydd. Mae'r ddwy ystafell yn union yr un fath gyda mainc ar hyd un wal a phartisiwn yn y cefn sy'n dod dri chwarter ffordd ar draws pob ystafell. Y tu ôl i'r sgrin yma mae ardal y toiledau, cawodydd ac yn y blaen ond nid ydym yn eu gweld nhw. Mae **Josh** *yno eisoes yn faw o'i gorun i'w draed – wedi bod yn chwarae pêl droed. Mae rhyw anniddigrwydd am* **Josh** *a cheir y teimlad y gallai ffrwydro ar unrhyw adeg. Mae'n camu'n benderfynol o amgylch yr ystafell am ychydig cyn dechrau gwneud* press-ups *ar lawr yr ystafell newid. Mae'n anadlu'n ddwfn wrth wneud. Wedi ychydig o hyn, mae'n rhoi ei draed i fyny ar y fainc fel bod y* press-ups *yn anoddach fyth. Mae'n parhau hyd nes ei fod yn methu gwneud dim mwy yna'n pwyso gyda'i ben ar y llawr am rai eiliadau yn cael ei wynt ato. Wedi ychydig o seibiant, mae'n gwneud dau neu dri* press-up *arall nes ei fod wedi blino'i gyhyrau i'r eithaf. Mae'n sefyll, allan o wynt yn llwyr ac yn ymestyn cyhyrau ei gorff. Mae rhywbeth anifeilaidd amdano, fel llew yn prowla mewn cawell)*

Josh: *Pumped… pumped.*

(Saib. Yna daw **Rhys** *i mewn yn hamddenol gan fwyta creision. Does dim llawer o hoel mwd ar*

Rhys. *Mae gan y ddau berthynas ryfedd – maen nhw'n gallu ffraeo a chymodi am yn ail heb newid dim. Maen nhw'n adnabod ei gilydd ers pan oedden nhw'n blant a dim ond perthynas felly all oddef y fath eithafon)*

Rhys: *Freezing*! Be 'di'r sens mewn chwara *footy* tu allan yn ganol gaea? Mmm. Crinkle Cut. Sna'm byd yn c'nesu chdi fath â Smoky Flame-grilled Bacon.

*(Mae **Josh** yn dal i anadlu'n ddwfn ac aiff **Rhys** i eistedd ar y fainc i fwyta'i greision. Am sbel, yr unig sŵn a glywn yw anadl **Josh** a sŵn **Rhys** yn crensian. Mae **Rhys** yn cynnig y paced i **Josh**)*

Rhys: Crispan?

*(Mae **Josh** yn ysgwyd ei ben i wrthod. Mae'n mynd i estyn ei ffôn o'i fag ac yn mynd ati i weld a oes neges wedi cyrraedd iddo)*

Rhys: Camgymeriad mawr. Smoky Flame-grilled Bacon yn un o crisps gora fi. *Top five*, o leia. Y pedwar arall fasa Salt and Vinegar, Lamb Vindaloo, Chocolate Salted Nuts a Cheddar and Onion with a Jalapeño Twist. Mmm-hmm! Pawb arall 'di mynd?

*(Mae **Josh** yn edrych o'i gwmpas)*

Josh: Edrych felly, dydi?

Rhys: Na, aros. Dwi 'di anghofio am Curry Pringles. 'Once you pop you can't stop.' Munud ti'n popio, alli di'm stopio!

Josh: *(Gan gyfeirio at y ffaith nad oes neges wedi cyrraedd ei ffôn)* Crap.

Rhys: Ma 'na betha Cymraeg gwaeth na hynna. Ti'n cofio'r mat cwrw 'na welson ni?

Josh: Lle?

Rhys: Yn y Vaults.

Josh: Pan o'dd rhaid i fi nôl diod i bawb?

Rhys: Ia.

Josh: Mynadd.

Rhys: Mond chdi sy'n edrych digon hen. Er, gynno fi *stubble* yn dechra dod.

*(Mae **Josh** yn mynd i edrych yn fanylach)*

Josh: *Bum fluff* 'di hwnna, Rhys.

Rhys: Neith o dywyllu a mynd yn pricli'n o
             fuan.

Josh: Chdi 'di'r unig *prick* rownd fan'ma!

*(Tynna **Josh** ar y blewiach gan beri i **Rhys**
sgrechian. Mae **Josh** yn chwerthin)*

Josh: Pam 'dan ni'n siarad am dy flewiach
             di, eniwe?

Rhys: Tydan ni ddim. Siarad am y mat cwrw
             'dan ni.

Josh: O'n i'n meddwl ma siarad am betha
             sy'n swnio'n crap yn Gymraeg oddan
             ni.

Rhys: Yn dechnegol, oddan ni'n siarad am
             y ddau beth. Odd un ochr o'r mat yn
             deud 'Don't Binge Drink'.

Josh: … a'r pwynt ydi?

Rhys: Bod hynna reit *catchy*.

Josh: Ella.

Rhys: Ac odd yr ochr arall yn deud 'Paid meddwi'n GACU'.

Josh: Be uffar 'di meddwi'n GACU?

Rhys: 'Goryfed Achlysurol Cyflym mewn Un Noson.'

*(Mae **Rhys** yn chwerthin)*

Rhys: Rybish ta be?

Josh: Crap llwyr.

(Saib)

Rhys: Dwi'n uffernol o oer. Ti?

Josh: Dwi'n iawn.

Rhys: Tasan ni'm yn gorfod mynd i'r peth 'ma ar ôl ysgol, 'san nhw 'di'n gyrru ni adra. Ti'n meddwl?

(Dim ymateb. Saib)

Rhys: 'Nes i dipyn o oryfed achlysurol cyflym mewn un noson neithiwr. O'n i'n *shitfaced*. Bow 'n' Black. Dedli. Lle oddach chdi erbyn diwedd?

Josh: Dwi'm yn gwbod.

Rhys: Methu cofio w't ti?

Josh: Na.

Rhys: Be ti'n feddwl? Na, ti'n cofio bob dim ta ia, ti'n cofio dim byd?

Josh: 'Di'r *showers* 'ma'n gweithio?

Rhys: Dwi'm am gym'yd cawod.

Josh: Sna'm rhaid i chdi. Ti'm yn fudur.

Rhys: Nath y bêl ddim dod ata i.

Josh: 'Nest ti ddim mynd yn agos at y bêl.

Rhys: O'n i ddim yn *arsed*. I be?

Josh: Achos bo' chdi'n *obese*. Chu-wumba-wumba! Chu-wumba-wumba!

Rhys: Esgyrn mawr sgin i.

Josh: Dim esgyrn mawr sgin ti. Tits mawr sgin ti.

Rhys: Tisio'u teimlo nhw?

Josh: 'Sa'n well gin i ddrilio ail dwll tin i fi'n hun. Heb anaesthetig.

Rhys: Awtsh!

Josh: Dwi am fynd i weld os 'di'r *showers* 'ma'n gweithio.

Rhys: Ddo i efo chdi.

Josh: Dwi 'di poeni amdana chdi o'r blaen. Ti'n *jolly* ta be?

Rhys: 'Di'm yn saff gada'l fi fy hun, sdi. Ella 'na i fyta'n hun i farwolaeth!

(Mae'r ddau'n diflannu y tu ôl i'r sgrin yng nghefn yr ystafell. Daw'r merched i mewn i'w hystafell

*newid hwythau. Er bod y ddwy'n cario ffyn hoci,
dyw **Grug** ddim yn edrych fel petai hi wedi torri
chwys. Mae **Siwan** yn goch ac yn chwyslyd)*

Siwan: Sut ti'n medru sgorio dwy gôl heb
sbwylio dy *make-up*?

Grug: Do'dd gin ti'm *make-up* i ddechra.

Siwan: Na ond dal… 'di o'm yn deg.

Grug: Dwi'n teimlo'n hollol *bloated*.

Siwan: O'dd Josh yn sbio arna chdi. 'Nest ti
sylwi? Wrth gerdded o'r cae. O'dd yr
hogia i gyd yn sbio arna chdi, rili.

Grug: Ma 'mol i'n hollol galed. Llawn gwynt.

Siwan: Be gest ti i ginio?

*(Mae **Grug** yn mynd i edrych a oes negeseuon wedi
cyrraedd ei ffôn)*

Siwan: Dim ond wy ges i i frecwast bore
'ma. Dim bara. Dwi ar *low-carb diet*.
Ma'r selebs i gyd arno fo. O'dd o'n
deud yn *Closer*. Neu *Heat*. Neu un o'r

lleill. Dwn i'm. 'Lose five pounds in five days with the new Bread is Dead Diet.' Be gest ti i ginio?

*(Does dim neges wedi cyrraedd ffôn **Grug**)*

Grug: *Freezing.* Sgin i'm mynadd newid ar gyfer y peth 'ma rŵan.

Siwan: Ma raid i chdi, siŵr. Prom Queen 'leni! Dwi'n edrach yn ofnadwy yn fy *ballgown.* O lle ti'n sefyll yn fan'na, 'di o'n edrach fel bod gin i *muffin top*?

Grug: Dwi'n dallt bod rhieni a pawb yn dod, 'de, ond i be ma isio'r holl ffys?

Siwan: Go iawn. Sgynno fi *muffin top*?

*(Mae **Grug** yn edrych)*

Grug: Oes, dipyn bach.

Siwan: Diolch, Grug!

Grug: Chdi ofynnodd!

Siwan: Do'dd dim rhaid i chdi ddeud y gwir, nag oedd?

(Saib)

Siwan: Ella dyliwn i ddechra smocio.

Grug: 'Nest ti drio unwaith ond ro'ddach chdi'n chwythu yn lle tynnu.

Siwan: Mond practis 'swn i isio. Ella 'sa'n cadw fi'n dena fath â chdi. Sawl un gest ti rŵan?

Grug: Dwy.

Siwan: Pawb arall 'di mynd yn barod.

(Saib)

Grug: Dwn i'm os 'di'n ffrog i'n ffitio. I be ma isio mynd i gymaint o ffy`s?

Siwan: Isio neud sioe i'r llywodraethwyr ma Hitler, 'de? Ac o'n i'n meddwl 'sa chdi wrth dy fodd ca'l dangos dy hun.

Grug: Sgin i'm mynadd.

Siwan: Bydd dy lun di'n y papur newydd. Cyfraniad mwya i brydferthwch yn yr ysgol, ne wbath felly.

Grug: Oes 'na gategori mwya *hungover*?

Siwan: Ydi hi'n naturiol i ddal i deimlo'n sâl diwedd pnawn?

Grug: Dwn i'm ond mi ydw i. Gwaeth os rhywbeth.

Siwan: 'Nes i chwydu neithiwr. Odd gin i flas afiach yn 'y ngheg wedyn. 'Nest ti weld fi?

Grug: 'Nes i'm gweld chdi drw'r nos.

Siwan: Na fi. Wel, 'nes i weld chdi'n diflannu efo Josh, ond 'nes i'm gweld chdi wedyn.

*(Edrycha **Grug** ar ei ffôn eto)*

Siwan: Ti a Josh yn mynd allan efo'ch gilydd?

Grug: Dwn i'm.

Siwan: Oddach chi'n snogio.

Grug: O, dyna oddan ni'n neud?! 'Nath Josh ddeutha fi mai fel'a oddach chdi'n chwara Snap.

Siwan: Do?!

Grug: Blydi hel, Siwan!

Siwan: Sori.

(Saib)

Siwan: Dwi 'di cl'wad amdano fo, sdi. Tempar. Fath â'i dad. Hwnnw'm yn gall.

Grug: Dwi'm am ga'l cinio.

Siwan: *Proper mentalist* meddan nhw.

Grug: Be 'di'r deiet 'ma ti arno fo?

Siwan: Bread is Dead. Bach yn *extreme*, ti'm yn meddwl?

Grug: Dwn i'm.

(Saib)

Siwan: Ty'laen 'ta. Gad i mi gl'wad yr *ins and outs* i gyd.

Grug: Pyrfyrt!

Siwan: O, na! Dim *ins and outs* fel'a! Dim dyna o'n i'n feddwl! 'Nath o jest dod allan yn rong!

Grug: Be ddo'th allan o lle?

Siwan: Paid, ti'n neud fi'n waeth!

(Saib fer)

Siwan: Ond go iawn. Duda be ddigwyddodd achos 'swn i'n lecio gwbod.

Grug: Mi *w't* ti'n pyrfyrt!

Siwan: Na!

Grug: Pam tisio gwbod 'ta?

Siwan: I fi ga'l gwbod be i neud os ga' i gariad rywbryd. Pan dwi tua thyrti!

Grug: 'Di o'm yn *big deal*. Ti jest yn neud o.

Siwan: Jest fel'a?

Grug: Ia. Tisio i fi neud deiagram i chdi? Dyma'r pidyn a dyma'r wain.

Siwan: Dwi'n gwbod be dwi fod i neud ond dwi'm yn siwr iawn lle i ddechra.

Grug: Ti'n swnio fel ceiliog mewn cwt ieir! Ond ffor' arall rownd, os ti'n gwbod be sgin i.

Siwan: Dwi'n siriys, Grug!

Grug: Wel, ti'n dechra efo ffeindio hogyn.

Siwan: Blincin hec – dwi'm yn hollol iwsles. Pwy ti'n feddwl ydw i – Rhys?!

Grug: 'Sa well gin hwnnw snogio pacad o grisps!

(Mae'r ddwy'n chwerthin)

Grug: Dwi 'di anghofio'n ffrog yn y *cloakroom*. Dos i nôl hi i fi, 'nei di?

Siwan: Be?!

Grug: Dos!

Siwan: Be ti'n feddwl ydw i?

Grug: 'Na i deimio chdi!

(Mae **Siwan** *yn chwerthin)*

Siwan: Iawn. Dwi isio nôl fy *make-up* eniwe.
Chenj 'fyd, 'de – ca'l yn *glammed up*?!

(Mae **Siwan** *yn gadael a* **Grug** *yn aros cwpwl o
eiliadau cyn mynd i'w bag i estyn bwyd. Daw'r
hogiau yn ôl i mewn i'w hystafell hwythau. Yn ystod y
sgwrs rhwng yr hogiau, mae* **Grug** *yn bwyta pob math
o bethau gwahanol yn awchus – siocled, muffins…)*

Josh: Peipia 'di rhewi, *my arse*. Ma'r lle
'ma'n dymp.

Rhys: Rŵan bo' chdi'n sôn, dwi'n meddwl
ella bo' fi isio dymp.

Josh: Dwi'n ca'l ambell bisiad efo mwy o
force nag o'dd yn y *shower* 'na!

Rhys: A fi.

Josh: Paid â malu awyr – ti heb weld dy bidlan ers Blwyddyn 9!

Rhys: Do, tad... yn y *mirror*!

Josh: Ddudish i bo' chdi'n *kinky*, do?

(*Saib*)

Josh: 'Sa well bod y lol noson wobrwyo 'ma'm yn para rhy hir. Isio neud *weights* heno. *Power session. Bench, squat, deadlift, clean, push press.* Y *big five*.

Rhys: Dwi ar y *big five* heno 'fyd. Teli, cebáb, crisps, Coke...

Josh: ... pigo dy din.

Rhys: Pam ti'n neud gymaint heddiw? Achos bo' chdi heb dreinio ddoe?

Josh: Mi gafodd y mysl mawr *exercise* neithiwr, diolch yn fawr!

Rhys: *No way*?

Josh: Do *way*!

Rhys: Bethany?

Josh: Na.

Rhys: Nicky?

Josh: *Nope*.

Rhys: Dw i 'di ga'l o – Siwan!

Josh: *Piss off*!

Rhys: O… paid â deud… dim Grug?

Josh: *Yep*!

Rhys: O, Grug. Grug, Grug, Grug. Goddess Grug. Mi faswn i'n cropian drwy hoelion jest i ga'l llyfu plastar oddi ar dy ben-glin…

(Saib)

Rhys: *Awesome stuff*, Josh.

Josh: Gin i lunia hefyd.

Rhys: *No way?*

Josh: Do *way!*

Rhys: Ar dy ffôn?

Josh: Na, mewn albwm del efo llun calon ar y ffrynt! Fydda i'n mynd drwyddyn nhw o flaen tân efo Mam a Dad weithia. Ia, ar fy ffôn, y *div*.

Rhys: Grug yn *hottie.* Uffar *jammy* w't ti.

Josh: Dim lwc 'di o, mêt.

*(Mae **Josh** yn mynd ati i wneud sit-ups a **Rhys** yn agor potel fawr o Coke)*

Rhys: *Awesome.*

(Saib)

Rhys: Sut bo' gin ti fynadd?

Josh: Reit hawdd ca'l mynadd am hynna, 'sdi.

Rhys: Ddim am Grug dwi'n sôn. Am hyn. Am yr… *sort of… sit-up thingy.*

Josh: Alli di'm prynu *six pack* yn siop.

Rhys: Medri, tad, mi 'nes i neithiwr. *Six pack* o seidar!

Josh: Dyna pam bo' chdi'n edrach fath â *pot-bellied pig*!

Rhys: *Body of a god*! *Pity it's a Buddha*!

Josh: Ti'm yn ca'l bod yn gapten tîm *footy* a rygbi…

Rhys: … a Victor Ludorum *sports day*…

Josh: … wrth ista ar dy din yn byta ac yfad crap.

Rhys: Cytuno'n llwyr.

(Mae **Rhys** *yn cymryd dracht awchus o'i botel Coke, a* **Josh** *yn parhau â'i ymarferion. Daw* **Siwan** *yn ôl a chuddia* **Grug** *y bwyd yn syth. Mae* **Grug** *yn wahanol, fel tasa ganddi gywilydd ohoni*

hi ei hun. Pan mae yna seibiau yn y sgwrs rhwng
y ddwy ystafell, gall cymeriadau gadw eu stwff
chwaraeon, cymoni dillad…)

Siwan: Ma dy ffrog di'n lyfli. *Size eight*! Faswn
i'm yn medru ca'l un o 'nghoesa i
mewn i hon. Dwi fath â morfil. Taswn
i'n colapsio yn fa'ma rŵan, mi fasa
Greenpeace yn dod i lusgo fi'n ôl
i'r môr… 'Di'r cawodydd 'nôl yn
gweithio?

Grug: Dwi heb sbio.

Rhys: Dwi am roi fy tux ymlaen dros y mwd.

Josh: Llwyth o rybish fydd y peth 'ma eniwe.

Siwan: Dwi'm yn lecio ca'l cawod yn rysgol.

Rhys: Ma ca'l cawod yn rysgol yn rong
eniwe. Mae o fath â Golden Rule
Number One.

Josh: Be 'di hwnnw?

Rhys: Paid byth â ca'l dymp yn rysgol.

Josh: Dim Golden Rule Number Two ddylia hwnnw fod?

Rhys: Paid byth â torri'r *one* na'r *two*. Er dwi'n mynd i stryglio heddiw.

Siwan: Dwi heb neud fy aseiniad Addysg Grefyddol, chwaith. 'Hindŵaeth a defod y Ganges.'

Grug: Difyr.

Siwan: Mae o reit dda, 'sdi.

Grug: Swnio'n *piss boring*.

Siwan: Na. Dŵr yn bwysig ofnadwy iddyn nhw. Gallu puro bob dim.

Rhys: Dwi'm yn gwbod 'di'n iach dal hwn i mewn drw' dydd.

Siwan: Ac unwaith y flwyddyn, maen nhw i gyd yn mynd i'r Ganges i folchi.

Rhys: Ella ddyliwn i sbio ar Wikipedia. Gweld ydi o'n saff i neud.

Grug: Be 'di'r Ganges?

Siwan: Afon.

Grug: Swnio fath â STD.

Josh: *Ice bath* ar ôl treinio heno.

Rhys: Be 'di hynny?

Josh: *(Yn sarcastig)* Wel, fath â bath – efo rhew.

Rhys: Oes 'na'm peryg i chdi rewi dy fôls off?

Josh: Mi fasa 'na beryg, 'de. 'Sa chdi'n reit saff efo'r *peanuts* 'na sgin ti!

Siwan: Maen nhw'n meddwl bod yr afon yn medru glanhau eu pechodau nhw i gyd, 'sti.

Grug: Does 'na'm trolis siopio a hen deiars a ballu ynddi hi?

Siwan: Dwi'm yn gwbod. Dwi rioed 'di bod. Maen nhw'n meddwl bod y dŵr yn llnau yr holl ddrwg allan o'u henaid nhw.

Josh: Ma dŵr oer yn helpu dy gorff di i drwsio'i hun.

Grug: *(Wrthi hi'i hun bron)* 'Swn i'n medru neud efo hynny.

Siwan: Paid â rwdlian.

Josh: Ti'n iawn wedyn.

Rhys: 'Di ista mewn bath o rew yn brifo?

Josh: Os ti 'di arfer efo poen, ti'm yn 'i deimlo fo ar ôl tipyn.

Siwan: Maen nhw wedi'u puro i gyd ar ôl bod yn yr afon.

Grug: Gosh, ti'n gwbod lot am y peth, Siw. Ella ddylia chdi sgwennu traethawd ne wbath ar y pwnc!

Siwan: Dyna 'di'r pwynt – dwi'n gorfod neud erbyn bora fory!

Grug: Dyyyyy!

*(Mae **Rhys** yn edrych drwy'r ffenest ac mae **Josh** yn rhoi'r gorau i wneud* sit-ups *ac yn estyn am ei ffôn)*

Rhys: Dal yn bwrw. 'Some day a real rain will come and wash all the scum off the streets.'

Josh: *Terminator 3?*

Rhys: Travis Bickle. *Taxi Driver*, 1976.

Josh: *Geek*. Ddylia chdi ga'l mewn i'r math o ffilms dwi'n lecio.

Rhys: Mi faswn i, ond ma 'mrawd bach i o hyd yn mynd trw' *search history* y *computer*!

(Mae'r ddau'n chwerthin)

Siwan: Ti'n medru cl'wad yr hogia'n chwerthin o fan'ma. Walia 'ma'n dena.

Grug: Rhy drwchus i allu clywed yn iawn, ddo.

Siwan: Chwerthin ar fy mhen i ma siŵr, ar ôl i fi chwydu neithiwr.

Grug: Llais Josh 'di hwnna.

Siwan: Josh yn lecio chwerthin ar ben pobol. Wrth 'i fodd efo fo'i hun. Lwcus. A chditha 'run fath…

Grug: Be ti'n drio'i ddeud?

Siwan: Dim dyna dwi'n feddwl. Hyderus. Gwbod sut i gerddad yn iawn a pryd i ddeud y petha iawn. A dwi jest mor…

Grug: Paid â mynd on ac on am y peth!

Siwan: Jest mor… jest yn niwsans. Sori.

Grug: A stopia ymddiheuro am bob dim.

Siwan: Sori.

Grug: Stopia, Siwan!

Rhys: Pwy ti'n decstio?

Josh: Dim tecstio dwi. Secstio.

Rhys: *No way*? 'Di pobol yn neud hynna go
          iawn?

Josh: Yndyn. Ma 'na fyd maaaawr allan yna,
          Rhys, jest yn disgw'l i chdi'i ffeindio
          fo!

Rhys: Be ti'n gorfod neud?

Josh: Deud petha budur.

Rhys: Be, fath â mwd a baw a tractors a
          petha?

*(Mae **Rhys** yn chwerthin)*

Josh: A dyna'n union pam ti dal yn *virgin*!
          Send.

Rhys: Be 'nest ti yrru iddi? Un o lunia
          neithiwr?

*(Plyga **Rhys** i nôl rhywbeth a **Josh** yn rhoi uffar o
slap iddo ar draws ei din efo tywel. Mae **Rhys** yn
sgrechian)*

Josh: Meindia dy fusnas!

*(Mae ffôn **Grug** yn bîpio ac mae'n agor y neges)*

Siwan: Pwy sy 'na?

Grug: Meindia dy fusnas!

Siwan: Gei di ddeutha *fi*. 'Na i'm deud w'th neb achos sgin i'm llawar o ffrindia.

(Saib)

Siwan: Josh sy 'na?

Grug: Mam. Gweld os dwi 'di cofio'n earrings.

Siwan: O, chwara teg iddi. Clên 'di mamau, 'de? Ma mam fi'n glên. Diog, ond clên, fath â fi.

Grug: Dwi'n mynd i toilet.

Siwan: Tsiecia ydi'r gawod 'di dechra gweithio. Dwi jest â rhewi.

*(Mae **Grug** yn dechrau mynd)*

Siwan: Welist ti'r stori 'na wsos dwytha?
Os ti'n oer, ma dy gorff di'n gorfod
llosgi mwy o galorïa i gadw'n gynnas.
'Shiver yourself thin' ne wbath. Cŵl ta
be? Oer, ond cŵl.

*(Mae **Grug** yn gadael. Mae **Siwan** yn edrych o'i
chwmpas cyn estyn am ffrog **Grug**. Mae hi'n dal
y ffrog o'i blaen i weld os yw'n siwtio. Ar ôl cryn
amser o syllu a magu hyder, mae hi'n dechrau
dawnsio'n ysgafn gyda'r ffrog o'i blaen. Mae hi'n
dychmygu sut beth fyddai gallu ffitio yn y ffrog.
Mewn rhyw ffordd, mae hi'n dychmygu hefyd sut
beth fyddai bod yn **Grug** – yn denau, yn ddeniadol
ac yn boblogaidd. Mae **Rhys** yn codi cylchgrawn
oddi ar y llawr)*

Rhys: Chdi pia hwn?

Josh: Na. Edrach yn crap.

Rhys: Dwn i'm. Sbia ar hwn – 'What your
phone says about you.'

Josh: Be mae o'n ddeud am hon 'ta?

Rhys: A! Diddordeb rŵan, oes? Ymm...
'Always on the lookout for the latest

must-have tech item, you're ahead
of the pack: popular, cool and an
inspiration to others!'

Josh: *Oh yeah, baby*! Be mae o'n ddeud am
d'un di?

Rhys: 'Soooo 2003! Next thing you'll be
clipping it onto your belt like a
builder! Where's your self respect?'

*(Mae **Josh** yn chwerthin)*

Rhys: *Gutted*!

*(Tafla **Rhys** y cylchgrawn o'r neilltu)*

Rhys: Llwyth o rwtsh sy'n rheina i gyd.

Josh: Ella bod y darn 'self respect' yn wir.

*(Dyw **Rhys** ddim yn gwybod sut i gymryd hynny)*

Rhys: Be ti'n feddwl?

Josh: Stwffio dy hun efo jync ac ista ar dy
din drw'r adag.

Rhys: Fydda i'n cerddad i'r siop ac yn ôl.

Josh: 'Runig amsar ti'n chwysu ydi pan ti ar y pan!

Rhys: Paid â siarad am hynny. Dwi'n panicio 'mod i'n mynd i orfod torri Golden Rule Number One.

Josh: Neu Two.

Rhys: Ges i gyrri cyn mynd allan neithiwr.

Josh: Ia, wel, llai o Tikka Massala ac ella colli di'r *moobs* 'na. Os oes gin ti'm corff iach, alli di'm ca'l meddwl iach.

Rhys: *Yes, master Yoda. Strong in me the force it is.*

*(Mae **Josh** yn rhoi ei ddwylo y tu ôl i'w gefn ar y fainc fel petai'n gwneud tricep dips gyda'i draed ar y llawr. Saib)*

Rhys: Gad i mi weld 'ta.

Josh: Be?

Rhys: Y llunia.

Josh: 'Sa'm yn saff dangos nhw i chdi, siŵr. 'Sa chdi'n ecseitio'n racs!

Rhys: Isio gweld sgin i bâr mwy na Grug dwi, 'de!

*(Mae **Josh** yn ei anwybyddu ac yn cario mlaen efo'i ymarferion)*

Rhys: Pam 'di Grug heb atab yn ôl ti'n meddwl?

*(Dyw **Josh** ddim yn cymryd sylw)*

Rhys: Ella bod hi'n *gutted* bo' hi 'di gada'l i chdi.

*(Mae **Josh** yn cario ymlaen â'i ymarferion)*

Rhys: Ne bo' gynno hi gariad yn rwla arall. Ma hi'n mynd i gerddorfa sir yn rwla, dydi?

(Dim ymateb)

Rhys: Cariad yn fan'no, mae'n siŵr. Rhyw foi efo *double bass* mawr.

(Dim ymateb)

Rhys: Ia. Difaru ma hi, garantîd. Dyna 'di o…

Josh: Cau dy geg, Rhys, y pric tew!

*(Mae **Rhys** wedi ei ddychryn gan newid agwedd **Josh**. Mae **Josh** yn anelu am ardal y toiledau)*

Rhys: *(Yn dawel)* Wow – *Roid Rage. Stop taking the pills, dude.*

Josh: Be?

Rhys: Dim byd.

*(Daw **Josh** yn ôl ac mae'n sgwario yn syth am **Rhys**. Mae'n mynd i ddweud rhywbeth ond mae'n dal yn ôl. **Josh** yn edrych ar **Rhys** am ennyd cyn gadael. **Rhys** wedi cael braw. Mae'n eistedd am funud a'i feddwl yn bell. Mae **Siwan** yn dal i ddawnsio gyda ffrog **Grug** gan ganu'n ysgafn. Mae **Rhys** yntau yn edrych o'i gwmpas cyn sleifio i mewn i fag **Josh** i estyn ffôn **Josh** ohono. Yn*

ystod y sgwrs rhwng y genod, mae **Rhys** *yn brwydro gyda'r ffôn. Mae'r ffôn yn anghyfarwydd iddo – mae'n cael trafferth ffeindio ei ffordd o'i gwmpas. Mae o'n amlwg yn chwilota am y lluniau. Yn ystod y darn canlynol o ddeialog rhwng y merched, mae rhywbeth yn tynnu sylw* **Rhys** *– ond nid yr hyn roedd o'n ei ddisgwyl. Rhywbeth arall – rhywbeth sy'n peri dryswch iddo.*

Daw **Grug** *yn ôl i mewn a gweld* **Siwan** *yn dawnsio o gwmpas gyda'i ffrog. Mae rhywbeth yn wahanol am* **Grug**. *Tydy hi ddim yn cario'i hun gyda'r un hyder, ddim yn meddu ar yr un sicrwydd. Mae hi'n gwylio* **Siwan** *am dipyn cyn dweud dim)*

Grug: Be uffar ti'n neud?

(Mae **Siwan** *yn neidio o'i chroen. Ar yr un pryd, mae* **Rhys** *yn ymateb o fod wedi clywed rhywbeth drwy'r wal. Mae'n amlwg fod arno ofn cael ei ddal yn edrych drwy'r ffôn)*

Siwan: Ymm, dim byd. Jest… 'sti… jest…

Grug: Dawnsio efo'n ffrog i?!

Siwan: Ym, wel… ia.

Grug: I be?

Siwan: Dwn i'm. Lecio hi. Lecio taswn i'n gallu gwisgo hi... Lecio taswn i'n edrych fath â chdi.

Grug: Ma 'na rwbath yn bod arna chdi.

(Saib hir, anghyfforddus)

Siwan: 'Di o'n od? Sbio ar rywun arall a meddwl – ''swn i wrth fy modd bod yn denau ac yn secsi fel 'na.'

Grug: Be?!

Siwan: Dim fel'a, dwi'm yn ffansïo chdi na dim byd fel'a.

Grug: Diolch byth, 'swn i'm yn medru handlo hynny hefyd heddiw!

Siwan: Gin ti ddigon ar dy dd'ylo yn barod, oes – efo Josh?

*(Dyw **Grug** ddim yn ateb. Saib)*

Siwan: Braf arna chdi efo cariad.

Grug: 'Di o'm yn gariad i mi.

*(Dyw **Siwan** ddim yn gwrando, mae hi'n llawn o'i phroblemau ei hun)*

Siwan: Ma'n siŵr bod ca'l cariad yn braf. Hyd 'n oed os ma Josh 'di o.

Grug: 'Dan ni'm yn...

Siwan: 'Sna'm *chance* i mi. Dwi'm yn gwbod sut beth ydi ca'l hogia'n troi eu penna i sbio arna i pan dwi'n cerdded off gae hoci, neu pan dwi'n sugno sigarét yn secsi. Yr unig amser maen nhw'n sbio arna i ydi pan dwi'n deud rwbath stiwpid. *Funny fat one*. Fi 'di honno.

Grug: Faint o weithia rhaid i mi ddeu'tha chdi? Ti'm yn dew!

Siwan: *Cuddly* 'ta. Ma hynna'n waeth. Rhwla'n y canol. Ti'm naill beth na'r llall wedyn. O leia ma 'na ddynion sgin fetish am genod anfarth o dew.

Grug: Siw, ma 'na ddynion sgin ffetish am ga'l 'u trin fath â babis hefyd!

Siwan: Oes?

Grug: Oes!

Siwan: Mewn cylchgronau?

Grug: Mewn bywyd go iawn! Maen nhw'n talu i ferchaid newid 'u clwt nhw a rhoi potal o lefrith cynnas iddyn nhw!

Siwan: Be?

Grug: A wedyn maen nhw'n ca'l talc rownd 'u *dangly bits*!

Siwan: Ych-a-fi!

Grug: Yn union. Paid â phoeni gormod be ma hogia'n feddwl.

Siwan: Na, chdi sy'n iawn.

(Saib)

Siwan: Ond dyna 'dan ni i gyd yn neud ma siŵr, 'de?

Grug: Be?

Siwan: Pan ti'n meddwl am y peth go iawn.

Grug: Be?

Siwan: Dyna sy'n y cylchgronau i gyd, 'de?

Grug: Be?!

Siwan: Trio plesio hogia.

(Mae **Siwan** *yn cydio yn y cylchgronau sydd ganddi)*

Siwan: Sbia arnyn nhw. Rihanna 'di tyfu un *dress size*. Sioc! Cheryl Cole efo *wobbly bits* wrth redeg ar y traeth. Iaics! Kate Moss 'di colli pwysa. *Skeletal*! I gyd achos bo' hogia'n barnu drw'r adag.

Grug: Genod sy'n sgwennu'r petha 'na.

Siwan: Ti'n meddwl?

Grug: Ia, siŵr. 'Swn i'n lecio'u gweld nhw yn rhedeg ar hyd y traeth heb woblo.

Siwan: 'Sa'n well i fi beidio mynd ar gyfyl traeth. 'Sa Greenpeace yn rili poeni wedyn.

Grug: Ma'n rhaid bod nhw'n gorfod slagio pawb arall off er mwyn teimlo'n well amdanyn nhw'u hunain.

Siwan: Ma genod del yn neud hynna, dydyn? Hongian o gwmpas efo genod hyll er mwyn neud iddyn nhw'u hunain deimlo'n well…

*(Sylweddola **Siwan** beth mae hi newydd ei ensynio)*

Siwan: Dim bod…

(Saib fer)

Siwan: … wsti.

Grug: Reit, dwi am newid heb ga'l *shower*.

Siwan: Tisio hannar brechdan i gadw chdi i fynd?

Grug: 'Bread is Dead', Siw!

Siwan: Dwi'n gwbod ond 'nes i stopio yn siop ar ffor' mewn bora 'ma. Rhag ofn.

Grug: Rhag ofn be?

Siwan: Argyfwng.

Grug: Ydi hyn yn argyfwng?

Siwan: Yndi. Ma stumog fi'n rymblio. Tisio hannar ta be?

Grug: Na.

Siwan: Da w't ti. Dyna pam ti mor dena.

Grug: *Willpower*?

Siwan: A'r ffaith bo' chdi ddim yn b'yta dim byd, 'de.

*(Mae **Grug** wedi teimlo'r ergyd ond yn ceisio cuddio hynny. Mae **Siwan** yn cymoni ei dillad. Daw **Josh** yn ôl i mewn felly mae **Rhys** yn cuddio'r ffôn yn frysiog yn ôl ym mag **Josh**)*

Josh: Be uffar ti'n neud?

Rhys: Dim byd!

Josh: 'Di o'm yn edrach fath â dim byd.

Rhys: Wir, Josh. Do'n i'm yn neud dim byd.
Dim byd o gwbl.

Josh: Dim byd o gwbl?

Rhys: Sbio faint o'r gloch ydi hi o'n i.

Josh: Tydi hynna'm yn ddim byd o gwbl.

Rhys: Wel, yndi – mewn ffordd.

Josh: Ti'n deud bod fi'n deud c'lwydda?

Rhys: Josh – ty'laen. Callia.

*(Mae **Grug** yn dechrau tecstio a **Josh** yn mynd i bysgota ei ffôn allan o'r bag)*

Siwan: Pwy ti'n tecstio?

Rhys: Wir – do'n i'm yn neud dim byd.

Grug: Neb.

Rhys: Do'n i ddim yn trio sbio am y lluniau na dim byd felly.

*(Mae **Josh** yn troi arno yn wyllt gan wthio **Rhys** yn erbyn y wal sydd rhwng y ddwy ystafell)*

Rhys: Wow!

Josh: Paid â twtsio 'mhetha fi byth eto neu mi smashia i dy ddannadd di allan!

Siwan: Blydi hel! Josh o'dd hwnna!

Josh: 'Di hynna 'di sincio i mewn?

Siwan: Rhaid i chdi watshiad o, 'sti.

Josh: Dwi'm yn c'lwad chdi!

Rhys: Yndi, mae o 'di sincio i mewn.

Siwan: 'Di o'm yn gall.

Josh: Duda fo 'ta.

Siwan: Maen nhw'n deud bod 'i dad o'n nyts hefyd.

Rhys: Deud be?

Siwan: Crazy Clive.

Josh: Deud be sy'n mynd i ddigwydd os ti'n chwara efo 'mhetha fi eto.

Rhys: Ti am smashio 'nannadd i allan.

Siwan: Isio *trophy girlfriend* mae o.

Grug: 'Di hyn sod ôl o dy fusnas di, Siwan.

Josh: Reit.

Siwan: 'Swn i'n cadw'n glir oddi wrtho fo taswn i'n chdi.

*(Mae **Grug** yn brathu'n sydyn)*

Grug: 'Sna'm rhaid i chdi boeni am y peth achos eith o'm yn agos at rywun fath â chdi.

*(Mae neges yn cyrraedd ffôn **Josh**. Mae'n gollwng **Rhys**. Mae **Siwan** wedi ei brifo)*

Siwan: Ma be maen nhw'n ddeud yn wir.

*(Agora **Josh** y neges ac mae golwg bryderus arno)*

Rhys: Be?

Siwan: Beauty is only skin deep.

Josh: *Piss off*, Rhys, ac arhosa allan o 'musnas i.

Rhys: Ocê, ocê dwi'n mynd! O 'ma...

*(Mae **Rhys** yn gadael)*

Siwan: Achos mond crafu'r wynab sydd isio a ti'n medru bod yn berson afiach, Grug.

*(Mae **Siwan** yn gadael, wedi ypsetio)*

Grug: *(Wrthi hi'i hun)* Dwi'n gwbod.

*(Mae **Josh** yn ystyried y neges am dipyn a **Grug** yn edrych yn nerfus ar ei ffôn yn ddisgwylgar. Mae **Josh** yn dechrau ffonio ond yna'n ailystyried. Mae'n eistedd. Ceir saib eto wrth iddo ystyried y peth yna mae'n deialu. Mae ffôn **Grug** yn canu ac er bod y ffôn yn ei llaw, mae hi'n syllu ar y sgrin am rai eiliadau cyn ateb)*

Grug: Haia.

Josh: Haia.

Grug: Haia.

Josh: Grug?

Grug: Ia.

Josh: Josh sy 'ma.

Grug: Dwi'n gwbod.

Josh: Ti'n iawn?

Grug: Yndw. Ti'n iawn?

Josh: Yndw. Iawn.

(Saib)

Josh: Gest ti tecst fi?

Grug: Do.

(Saib)

Josh: Sgin i'm mynadd efo'r peth 'ma 'rôl ysgol rŵan. Sgin ti?

Grug: Na.

(Saib fer)

Josh: Be 'di'r pwynt?

Grug: Josh…

(Saib fer)

Grug: … ti'n iawn ar ôl neithiwr?

Josh: Yndw. Oddan ni 'di meddwi.

Grug: Oddach *chdi* 'di meddwi…

Josh: Oddach chdi…?

Grug: O'n inna hefyd. Dwi'm yn cofio llawar.

Josh: 'Nathon ni…

Grug: Dwi'n cofio bod chdi 'di brifo dy asenna.

Josh: Dyna dwi'n ga'l am ddisgyn.

Grug: Maen nhw'n ddu.

Josh: Dyna dwi'n ga'l...

Grug: Rhaid i chdi ddeud wrth rywun.

Josh: Deud be? Bo' fi 'di disgyn lawr grisia yn Regal wsos dwytha?

Grug: 'Nest ti ddeud bob dim wrtha fi neithiwr, Josh.

*(Saib. Daw **Rhys** yn ôl ond nid yw **Josh** yn ei weld)*

Josh: Paid â deud wrth neb.

Grug: Ma'n rhaid i chdi.

Josh: Nag oes. Ma 'na rai petha sy'n well 'u cuddiad.

Grug: Josh...

Josh: Paid â meiddio deud wrth neb. Iawn?

Grug: O'n i'n meddwl bo' ni...

Josh: 'Dan ni'n ddim byd. A tydi hyn yn ddim o dy fusnas di. Ti'n dallt?

*(Mae **Josh** yn diffodd ei ffôn)*

Grug: Ond neithiwr...

*(Sylwa **Grug** fod **Josh** wedi diffodd yr alwad a **Josh** yn sylwi bod **Rhys** yn sefyll y tu ôl iddo)*

Josh: Ers pryd ti'n fan'na?

Rhys: Munud 'ma.

Josh: O'n i'n meddwl 'mod i 'di deutha chdi am aros allan o 'musnas i.

Rhys: Mi ydw i. Yr eiliad 'ma gyrhaeddish i.

*(Mae **Grug** yn disgyn i'w heistedd ar y fainc)*

Rhys: 'Nes i'm cl'wad dim byd.

*(Dyw **Josh** ddim yn ei goelio ond nid yw'n dweud dim. Mae **Grug** yn estyn i'w bag am far o siocled ac yn dechrau ei fwyta. Mae rhywbeth yn corddi y*

tu mewn i **Josh**. *Mae'n camu o gwmpas yr ystafell newid am funud, yn ystumio fel petai am daro'r wal gyda'i ddwrn ond mae'n ailfeddwl. Mae'n gafael mewn* medicine ball *ac yn ei chodi uwch ei ben cyn ei slamio drosodd a throsodd i'r llawr)*

Rhys: Josh…

(Mae **Josh** *yn rhoi ei egni i gyd i hyn ac mae'r sŵn yn atsain drwy'r wal i'r ystafell nesaf. Bob tro mae'r bêl yn hitio'r llawr, mae* **Grug** *yn gwingo. Mae* **Rhys** *yn cymryd cam ymlaen i atal Josh ond mae'n ailfeddwl. Daw* **Siwan** *yn ôl ac mae* **Grug** *yn cuddio'r siocled. Mae* **Siwan** *yn sefyllian am dipyn. Does gan yr un o'r ddwy ddim syniad beth i'w ddweud)*

Siwan: Tydi'r toilets ddim yn fflyshio.

Grug: Na?

Siwan: Na.

Grug: Dwi'm yn gwbod be ma'r hogia'n neud drws nesa.

Siwan: Dŵr 'di rhewi yn y peipia, ma raid.

Grug: Ma siŵr mai dangos 'u hunain maen nhw. Bod yn "ddynion go iawn".

Siwan: Ma rhywun 'di chwydu yn un o'r toilets.

*(Mae **Grug** yn gwybod hynny ond nid yw'n ymateb)*

Siwan: Yn yr un canol. Driish i fflyshio fo. Ond 'di'r dŵr ddim yn rhedeg yn iawn.

Grug: Ddudist ti.

*(Mae **Josh** yn dechrau blino ond mae'n dal ati)*

Rhys: Josh...

Siwan: Chdi 'nath?

Rhys: Ma'r gawod 'di dechra dod.

Siwan: Grug...

Grug: 'Nath be?

Rhys: Digon da i folchi 'lly.

Siwan:　Chdi 'nath chwydu?

(Saib fer iawn)

Grug:　Ia, ia. Gynna. Fi 'nath. Ia.

Siwan:　'Nest ti'm deud.

Grug:　'Na i decstio tro nesa dwi'n mynd i'r bog, ocê. Annwyl Siwan, dwi'n mynd am bisiad. Cofion, Grug.

*(Mae **Josh** yn taflu'r bêl i'r llawr am y tro olaf – wedi blino'n llwyr. Mae'n plygu ac yn gosod ei ddwylo ar ei bengliniau er mwyn cael ei wynt ato)*

Siwan:　Mae o ar hyd yr ochra a bob dim.

Grug:　Dwi 'di dallt, Siwan!

(Saib)

Grug:　'Neith o fflyshio mewn munud, pan ma'r peipia'n dadmer. Dŵr yn puro bob dim medda chdi.

Rhys:　Ti am ga'l cawod? Fyddi di'n teimlo'n well.

Josh: Yn well am be?

Rhys: Jest... dwn i'm.

Josh: Gin i gur pen.

Grug: *Hungover* dwi.

Josh: Ddyliwn i'm yfad fodca.

Siwan: Dyna pam 'nest ti chwydu?

Josh: Fodca ma Dad yn yfad.

Siwan: Neithiwr o'dd y tro cynta i mi chwydu ers talwm. Chdi?

Rhys: 'Di dy dad yn yfad lot?

Grug: Fydda i'n neud reit amal.

Josh: Dwi'm am yfad eto.

Grug: 'Di o'm yn *big deal*.

*(Saib. Mae **Grug** yn mynd am ei ffôn ac yn tecstio)*

Siwan: Sori am be ddudish i gynna.

Grug: Oddach chdi'n deud y gwir.

Rhys: Mi ddudish i gelwydd gynna.

Siwan: O'n i jest yn deud wbath rwbath.

Josh: Be? Dim Flame-grilled Bacon 'di dy *favourite* di go iawn?

Rhys: Welish i'r llunia ar dy ffôn di.

Siwan: Isio brifo chdi o'n i.

Rhys: Edrach yn boenus.

Grug: Mi 'nest ti 'mrifo fi.

Josh: Dyna be dwi'n ga'l.

Grug: Dyna dwi'n haeddu.

Josh: Fodca'n neud i chdi neud petha gwirion.

Grug: Dwi ddim yn meddwl cyn deud petha.

Rhys: Neud chdi'n *violent*?

Josh: Neud i chdi ddisgyn lawr grisia.

Siwan: 'Sna'm pwynt poeni amdano fo rŵan....

Rhys: Dyna sut...

Josh: Yn y Regal. Wsos dwytha. O'n i'n racs.

Grug: Fath â neithiwr.

Josh: Bow 'n' Black. Dedli.

Rhys: Efo pwy...

Siwan: Alli di ddeud rwbath wrtha fi, 'sdi...

Josh: Ffrindia...

Grug: 'Sna'm byd i ddeud.

*(Mae neges yn cyrraedd ffôn **Josh**)*

Rhys: Isio sbio ar gloc dy ffôn di o'n i, 'sdi.

*(Mae **Josh** yn agor y neges)*

Rhys: Tisio crispan?

Siwan: Fydd y dŵr 'di dod erbyn rŵan.

*(Mae **Siwan** yn troi i adael)*

Grug: Siw? Fflyshia'r toilet 'nei di? Plis?

*(Gwena **Siwan** yn wan i gadarnhau hynny cyn troi a gadael)*

Rhys: Gan Grug?

Josh: Be alla i ddeud? Ma hi'n gagio amdana fi!

*(Mae **Rhys** yn gafael mewn tywel)*

Rhys: *(Yn canu a dawnsio'n wirion efo'r tywel)* '… and we'll be making love the whole night through, and I'm saving all my love for you…'

Josh: Ddudish i bod chdi'n *jolly*! *Bog off*!

*(**Rhys** yn gadael y llwyfan. Eiliadau o dawelwch. Mae **Grug** yn disgwyl. A **Josh** yntau yn disgwyl, ill dau â'u cefnau yn erbyn yr un wal yn wynebu oddi*

wrth ei gilydd. Yn y diwedd, mae **Grug** *yn codi ei ffôn ac wedi eiliad neu ddwy o ystyried, mae* **Josh** *yn derbyn yr alwad)*

Josh: Haia.

Grug: Helô.

(Saib)

Grug: Ti o ddifri?

Josh: Amdanan ni'n dau?

Grug: Bo' chdi am gadw'n dawel.

Josh: Yndw. Dwi 'di deutha chdi. Paid â deud wrth neb.

Grug: Ma'n rhaid i chdi.

Josh: Mae o'n dad i mi!

Grug: Mae o'n dy hitio di!

Josh: 'Na i hitio fo'n ôl. Rhyw ddwrnod.

Grug: 'Nei di ddim, Josh. Ma gynno fo afael arna chdi.

Josh: Tydi hyn yn ddim o dy fusnas di!

(Mae'r ddau yn codi ac yn dechrau camu o gwmpas eu hystafelloedd)

Grug: Mae o'n fusnas i mi ers i chdi ddeutha fi.

Josh: Pan dwi isio cyngor gin rhyw Barbie, 'na i ddod i ofyn amdano fo – iawn?

Grug: Be?

Josh: Glywist ti'n iawn.

Grug: Dyna ti'n feddwl ydw i? Dol?

Josh: 'Nes i'm deud hynny.

Grug: Digon agos. O, ma hi'n *hottie* efo coesa at 'i thin. Sgin hi'm teimlada ond mae'n neis i sbio arni.

Josh: Paid â rhoi geiria'n 'y ngheg i.

Grug: Do'dd neithiwr yn golygu dim byd i chdi?

Josh: 'Nath dim byd ddigwydd!

Grug: O – ti'n cofio popeth, w't ti?

Josh: Wel...

Grug: Naddo. 'Nath 'na'm byd ddigwydd, Josh. Dim byd fel'a. Ond 'nathon ni rannu petha efo'n gilydd. Ddudist ti betha...

Josh: Pam 'nei di'm jest gadal llonydd i fi?

Grug: Achos bo' fi'n lecio chdi, Josh! Dyna tisio blydi gl'wad? Wel, dyna chdi. Do's wbod pam ond dwi isio helpu chdi.

Josh: Dwi'm isio help neb!

Grug: A ti'n gwbod be dwi'n lecio fwya amdana chdi? Dim y malu cachu *macho*, dwi mor galad, fi yn erbyn y byd. Gei di gadw'r crap yna i gyd...

Josh: Gad lonydd i fi...

Grug: Gei di gadw'r crap yna i gyd! Achos

be dwi'n ei weld ydi hogyn bach ofnus sy'n cael ei waldio gan ei dad...

Josh: Paid.

Grug: ... yn cael ei waldio gan ei dad ac yn trio actio'n galad drwy bob dim. Ond crafa'r wyneb a ti'n gweiddi am rywun i dy helpu di. Ti'n gobeithio y bydd rhywun yn gweld y lluniau 'na ar dy ffôn di, yn gweld asenna sy 'di ca'l 'u stido'n ddu las a ti'n crefu am rywun i wrando arna chdi...

*(Mae **Josh** wedi dechrau crio'n dawel. Mae gan **Grug** ei llaw yn erbyn y wal fel petai hi'n ceisio cysylltu efo **Josh** drwyddi)*

Grug: Dwi'n gwrando arna chdi, Josh. Ti'n cl'wad? Dwi'n gwrando arna chdi. Dim chdi sydd wedi gofyn am dad alcoholig. Dwyt ti ddim wedi gneud dim byd i haeddu cael dy hitio fel'a. Dim chdi sydd wedi tynnu hyn am dy ben dy hun.

*(Mae'r ddau yn anadlu'n ddwfn. Saib hir. Eistedda **Josh**)*

Josh: Pan o'n i tua deg, ella un ar ddeg,
ro'dd gin Dad gêm. O'dd hi'n gêm dda.
Oddach chdi'n medru ennill lot o bres.
Ro'dd o'n rhoi papur decpunt ar draws
cefn fy llaw i. Deg punt. Ffortiwn.
Wedyn mi fasa fo'n cynna sigarét ac yn
rhoi blaen y sigarét yn erbyn y papur
decpunt. Os o'dd ei ffag o'n llosgi
twll yn y papur cyn i mi dynnu fy llaw
i ffwr', mi o'n i'n ca'l cadw'r pres. 'Sa
chdi'n meddwl 'sa pres yn llosgi'n
hawdd, basat? Ond tydi o ddim. 'Neith
o'm llosgi drwodd. Mi losgith dy groen
di cyn hynny. Enillais i rioed mo'r pres
ond o'n i dal i drio. O'dd Dad yn neud
ffŷs fawr am y gêm, codi hwyl – cyfla
i mi ennill tenar! Yn diwadd, ro'n i'n
gwbod bo' fi byth am ennill ond ro'n
i'n dal i gytuno i chwara, i blesio Dad.

(Saib)

Josh: Ma'r creithia'n dal gin i.

*(Mae'r ddau wedi troi fel bod un foch ac un llaw
yn erbyn y wal. Mae **Grug** yn rhoi ei hewinedd
dan y paent ar y wal ac yn plicio darnau ohono i
ffwrdd. Saib hir iawn)*

Grug: Dwi'n casáu fy hun.

*(Mae **Josh** yn ymateb ond nid yw'n dweud gair)*

Grug: Dyna ni, dwi 'di ddeud o.

Josh: Be?

Grug: 'Di o'n sioc? Prom Queen yn casáu ei hun? Ti'm yn disgwl bo' gynno fi deimlada, nag wyt?

Josh: Pam fasa chdi...

Grug: Mond crafu'r paent i ffwrdd sydd isio.

Josh: 'Di o'm yn neud synnwyr.

Grug: Dwi'n teimlo weithia mai'r unig beth sgin i i'w gynnig i'r byd i gyd ydy gwefusa coch a choesa hir.

Josh: Paid â...

Grug: Ma'n wir, Josh. Rŵan, ysgol, beth bynnag. Hwn fydd uchafbwynt fy mywyd i. *Form 6 hottie*. Gwneud y gora ohono fo tra alla i.

Josh: Ond ti mor... dwn i'm...

Grug: Hyderus?

Josh: Ia, mae'n siŵr.

Grug: Dwi'n swil, Josh! Fasa neb yn coelio ond dwi'n swil. Byth yn teimlo 'mod i'n ddigon da. Pan dwi'n cerdded mewn i stafell neu heibio criw o hogia, ma 'na gwlwm yn 'yn stumog i a ma'n rhaid i fi actio. Rhaid i mi beintio dros y cracia'n y wal a dwi'n casáu fy hun am neud. Casáu fy hun am y petha dwi'n ddeud. Casáu fy hun nes 'mod i'n sâl.

Josh: Rhaid i chdi beidio meddwl fel'a...

Grug: A'r unig ffor' i deimlo'n well, jest am eiliad bach, ydi stwffio 'ngwynab. Bob dim sydd ar y *banned list*. Bob dim sydd i fod yn ddrwg i mi. Mond drw' frifo'n hun dwi'n teimlo'n well.

Josh: Blydi hel, Grug.

Grug: Dyna chdi. Ti 'di ca'l cyfrinach gin i rŵan. 'Dan ni'n *quits*. 'Dan ni'n dau yn yr un cwch.

(Saib fer)

Josh: Ma'n rhaid i chdi ga'l help.

Grug: A chdi.

Josh: Dwi'n gwbod.

Grug: Allwn ni'm cadw petha fel'ma dan yr wyneb am byth. 'Neith o'n b'yta ni'n fyw.

Josh: Dwi'n gwbod.

Grug: *Deal?*

Josh: *Deal*.

Grug: Gaddo?

Josh: Yndw.

*(Ar hyn, daw **Siwan** a **Rhys** yn ôl)*

Grug: Dim mwy o guddiad.

Josh: Dim mwy o guddiad.

Siwan: Cuddiad rhag be?

(O sylwi bod yna bobl eraill yno, mae **Josh** *a* **Grug** *yn codi waliau unwaith eto)*

Grug: Dim byd. Jyst malu cachu efo rhywun dwi. Wela i di wedyn 'ta!

(Mae **Grug** *yn diffodd y ffôn)*

Josh: Iawn, hwyl.

Rhys: Be ti'n guddio? Planio gêm o Hide the Sausage w't ti?

Josh: Deg allan o ddeg.

Rhys: Uffar *jammy*. Grug! 'Swn i'n rhoi rwbath 'de, rwbath!

Siwan: Cawod yn gweithio. Ti am ddod?

Grug: Dwi isio edrach ar fy ngora yn y llunia papur newydd, dydw?

Rhys: Maen nhw 'di cnesu. Gei di ddeud yr hanas i gyd wrtha i rŵan.

Josh: 'Na i gadw'n t-shirt a 'nhrôns amdana i, dwi'n meddwl. Dwi'n dechra poeni amdana chdi!

Siwan: Fyddi di'n edrych yn *stunning* yn y ffrog 'na. Ti mor lwcus ca'l *figure* fel'a.

Rhys: Top ten crisps chdi, Josh?

Josh: Chocolate Salted Nuts.

Rhys: Am yn ôl o ddeg.

Josh: Ty'laen, y dic!

*(Mae **Josh** yn rhoi cic i **Rhys** yn ei din a'r ddau yn diflannu i'r cefn)*

Siwan: Ty'd 'ta. Dŵr yn puro popeth!

Grug: Os ti'n deud...

(Mae'r ddwy yn diflannu i'r cefn a sŵn dŵr y gawod i'w glywed yn glir)

Hefyd yn yr un gyfres:

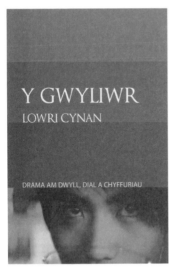

Y GWYLIWR
LOWRI CYNAN

DRAMA AM DWYLL, DIAL A CHYFFURIAU

GŴYL!
PETER DAVIES

DRAMA AM GYFEILLGARWCH
SY'N CAEL EI WTHIO I'R EITHAF

HAP A...
RHIAN STAPLES

DRAMA GIGNOETH, DIWEDDGLO TRASIG

GWASTRAFF
CATRIN JONES HUGHES

DRAMA GALED, YN LLAWN DIRGELWCH

£2.95 yr un

Hefyd o'r Lolfa:

dramâu'r draXn

£2.95 yr un

yr ysbryd

CARYL LEWIS

dramâu'r dra**X**n

GWYNETH GLYN

dramâu'r dra**X**n

deryn mewn llaw

CARYL LEWIS

arkies

dramâu'r dra**X**n

Nofelau gafaelgar i bobol ifanc gan rai o awduron gorau Cymru

£5.95 yr un

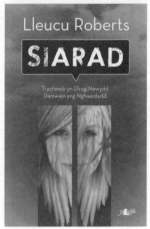

'Gwae fi o'i thynged fy hun, eleni y'i ganed'

Annwyl Smotyn Bach

nofel gan
Lleucu Roberts

Sara Ashton

MaRi WyN

Y DDWY LISA

CYSGOD YR HEBOG

Gareth F. Williams

Y DDWY LISA

SGRECH Y DYLLUAN

Gareth F. Williams

Am restr gyflawn o lyfrau'r Lolfa, mynnwch
gopi am ddim o'n catalog
neu hwyliwch i mewn i'n gwefan

www.ylolfa.com

lle gallwch archebu llyfrau ar-lein.

TALYBONT CEREDIGION CYMRU SY24 5HE
ebost ylolfa@ylolfa.com
gwefan www.ylolfa.com
ffôn 01970 832 304
ffacs 832 782